★ J'appr ★
à li

• avec les Grands

Disney

Peter Pan

Isabelle Albertin

hachette
ÉDUCATION

Avec les Grands Classiques Disney, lire est un plaisir !

Avant de lire l'histoire

- Parlez ensemble du titre et de l'illustration en couverture, afin de préparer la compréhension globale de l'histoire.
- Vous pouvez, dans un premier temps, lire l'histoire en entier à votre enfant, pour qu'ensuite il la lise seul.
- Si besoin, proposez les activités de préparation à la lecture aux pages 4 et 5. Elles permettront de déchiffrer les mots les plus difficiles.

Après avoir lu l'histoire

- Parlez ensemble de l'histoire en posant les questions de la page 30 : « As-tu bien compris l'histoire ? »
- Vous pouvez aussi parler ensemble de ses réactions, de son avis, en vous appuyant sur les questions de la page 31 : « Et toi, qu'en penses-tu ? »

Bonne lecture !

Couverture : Sylvie Fécamp
Maquette intérieure : Mélissa Chalot
Mise en pages : Anne Jan
Édition : Emmanuelle Saint

ISBN : 978-2-01-625536-0

Les personnages de l'histoire

Wendy

Peter Pan

Jean

Michel

La Fée Clochette

Capitaine Crochet

1 Montre le dessin quand tu entends le son (ou) comme dans caill<u>ou</u>.

2 Montre le dessin quand tu entends le son (k) comme dans <u>c</u>opain.

3 Lis ces syllabes.

frè	çon	gran	cham	clo	em

chet	dienne	teau	ille	que	gar

4 Lis ces mots-outils.

leurs   aux   c'est   et

ses   avec   quand   est

5 Lis les mots de l'histoire.

Peter Pan   Capitaine Crochet   Wendy

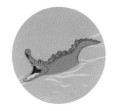  

un crocodile   des garçons   un bateau

5

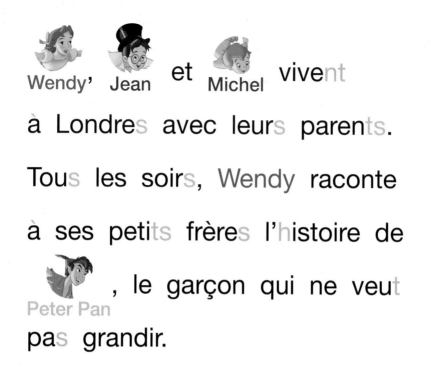

Wendy, Jean et **Michel** vivent à Londres avec leurs parents.

Tous les soirs, Wendy raconte à ses petits frères l'histoire de **Peter Pan**, le garçon qui ne veut pas grandir.

Je suis sûre qu'il existe vraiment !

Une nuit, et la entrent sans bruit dans

la chambre des enfants.

C'est alors qu'ils se réveillent !

Quelle rencontre !

Grâce à la poudre magique

répandue par la Fée Clochette,

la petite troupe s'envole vers

le Pays Imaginaire.

À peine arrivée, la troupe est bombardée par le !

Capitaine Crochet

Il déteste Peter Pan, qui lui a coupé une main et l'a jetée au crocodile…

Peter Pan confie les enfants à Clochette :

– Accompagne nos amis à l'abri chez les Garçons Perdus.

Mais Clochette est jalouse
de Wendy. Elle persuade
les Garçons Perdus qu'il faut
se débarrasser de la jeune fille.
Heureusement, Peter Pan arrive
à temps pour sauver Wendy.
Peter Pan est furieux contre
Clochette qui a mal agi.
Il lui ordonne de partir.

Rentre chez toi !

Pendant que Peter Pan

et Wendy explorent l'île,

les Garçons Perdus emmènent

Jean et Michel en expédition.

Mais les Indiens capturent tous

les garçons. Le chef pense que

Peter Pan a enlevé sa fille.

14

Pendant ce temps, Peter Pan et Wendy découvrent que la petite Indienne est prisonnière du Capitaine Crochet. Il exige qu'elle montre la cachette de Peter Pan.

Peter Pan intervient et se bat contre Crochet. Le pirate tombe à l'eau, où l'attend le crocodile.

Peter Pan en profite pour sauver la fillette indienne.

Crochet a retrouvé Clochette.

Toujours jalouse, la Fée lui

indique la cachette de Peter Pan.

La bande des pirates, guidée par

l'abominable Crochet, s'y rend.

Au même moment, les enfants,

qui ont décidé de rentrer

à Londres, quittent Peter Pan.

C'est alors que les pirates

leur tombent dessus.

En repartant, Crochet laisse une

bombe empaquetée pour Peter.

Le féroce Crochet donne
le choix aux pauvres enfants :
devenir pirates ou être jetés
à la mer !

Les garçons, terrorisés,
sont prêts à obéir. Seule
la courageuse Wendy refuse
de céder. Elle est sûre que
Peter Pan va venir la sauver.

Clochette, qui était prisonnière du Capitaine, apprend qu'une bombe menace Peter Pan.

Elle parvient à se libérer et fonce chez son ami.

Prenant tous les risques, elle lui permet d'échapper à la bombe et le sauve de justesse !

Wendy s'apprête à sauter

à l'eau plutôt que de devenir

pirate. Peter Pan surgit juste

à temps pour la rattraper !

Puis il libère les enfants.

Mais Crochet est déterminé

à en finir avec Peter Pan.

La bataille commence !

Le duel est acharné.

Mais le Capitaine perd l'équilibre. Il tombe à la mer, où l'attend le crocodile, la bouche grande ouverte...

Débarrassés du Capitaine Crochet, les enfants peuvent enfin rentrer chez eux.

Revenus à la maison,

les enfants racontent

le merveilleux voyage à leurs

parents. Cela rappelle au père

que lui aussi a aperçu

le fameux bateau volant de

Peter Pan quand il était petit...

As-tu bien compris l'histoire ?

1 Qui emmène les enfants au Pays Imaginaire ?

2 Pourquoi Clochette veut-elle se débarrasser de Wendy ?

3 Qui a kidnappé Lili la Tigresse ?

4 Sur le bateau de Crochet, que choisit Wendy : être pirate ou sauter à l'eau ?

5 À la fin de l'histoire, qui essaye de manger Crochet ?

Et toi, qu'en penses-tu ?

Si Peter Pan te rendait visite, le suivrais-tu au Pays Imaginaire ? Pourquoi ?

D'après toi, pourquoi Peter Pan ne veut-il pas grandir ?

Et toi, voudrais-tu rester toujours un(e) enfant ? Pourquoi ?

As-tu déjà été jaloux(se) ou en colère comme Clochette ?

Cite une chose que tu souhaiterais faire quand tu seras adulte.

Lire
pas à pas
avec les Grands Classiques

Début de CP

Niveau 1

a e i o u y é/è/ê
b d f l m n p r s t v
et/est un/une

Milieu de CP

Niveau 2

c/k/qu ch h ph
z/s = z ce/ci
ou/on an/en oi/oin
in ei/ai eu/œu
g/j ge/gi gn gu
er/ier/ez/et

Fin de CP

Niveau 3

ill/aill/eill/euill/ouill
x y w ion/ien
au/eau ain/ein ti = si

Achevé d'imprimer en Espagne
par UNIGRAF
Depôt légal : mai 2018
Collection nº 07 - Édition nº 01
21/7475/6